Princesse Daisy

a du courage

RETROUVEZ **PRINCESSE** *Academy* DANS

MA PREMIÈRE BIBLIOTHÈQUE ROSE

*Princesse Charlotte
ouvre le bal*

*Princesse Katie
fait un vœu*

*Princesse Daisy
a du courage*

*Princesse Alice
et le Miroir Magique*

Cet ouvrage a initialement paru en langue anglaise en 2005
chez Orchard Books sous le titre :
The Tiara Club
Princess Daisy and the Dazzling Dragon.
© Vivian French 2005 pour le texte.
© Sarah Gibb 2005 pour les illustrations.

© Hachette Livre 2006 pour la présente édition.

Adapté de l'anglais par Natacha Godeau

Conception graphique et colorisation : Lorette Mayon

Hachette Livre, 43 quai de Grenelle, 75015 Paris

Vivian French

Princesse Daisy
a du courage

Illustrations de Sarah Gibb

HACHETTE

PRINCESSE
Academy

Institution
pour Princesses Modèles

Devise de l'école :

Une Princesse Modèle
est honnête, aimable
et attentionnée.
Le bien-être des autres
est sa priorité.

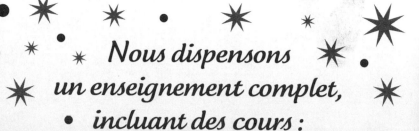

*Nous dispensons
un enseignement complet,
incluant des cours :*

- De Dragonologie
- De Haute-Couture Royale
- De Cuisine Fine
- De Sortilèges Appliqués
- De Vœux Bien Choisis
- De Maintien et d'Élégance

Notre directrice, la Reine Gloriana,
assure une présence permanente
dans les locaux. Nos élèves sont
placées sous la surveillance
de Marraine Fée, enchanteresse
et intendante de l'établissement.

Parmi nos intervenants extérieurs :

- Le Roi Perceval
  (expert ès dragons)

- La Reine Mère Matilda
  (Maintien et Bonnes Manières)

- Lady Victoria
  (Organisation de banquets)

- La Grande-Duchesse Délia
  (Stylisme)

Les princesses reçoivent
des Points Diadème afin de passer
dans la classe supérieure.
Celles qui cumulent assez de points
la première année accèdent
au Club du Diadème, et se voient
attribuer le diadème d'argent.
Les membres du Club rejoignent
alors en deuxième année
les Tours d'Argent,
notre enseignement secondaire
pour Princesses Modèles,
afin d'y parfaire leur éducation.

*Le jour de la rentrée,
chaque princesse est priée
de se présenter à l'Académie
munie d'un minimum de :*

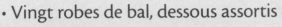

- Vingt robes de bal, dessous assortis
- Cinq paires de souliers de bal
- Douze tenues de jour
- Trois paires de pantoufles de velours
- Sept robes de cocktail
- Deux paires de bottes d'équitation
- Douze diadèmes, capes,
  manchons, étoles, gants,
  et autres accessoires indispensables.

Coucou! Je devrais peut-être dire:
« Bonjour, Votre Majesté »…
Mais on ne dit pas ça à une amie.
Et comme tu vas me tenir compagnie
à la Princesse Academy,
j'espère bien devenir ton amie!
Au fait, je m'appelle Daisy, Princesse Daisy.
Connais-tu les princesses Charlotte, Katie,
Alice, Émilie et Sophie?
Elles aussi, elles apprennent à devenir
des Princesses Modèles, et nous partageons
la Chambre des Roses.

Nous passons toujours
du bon temps ensemble…
Sauf quand Princesse Perfecta est là!
Heureusement, elle n'est pas dans notre dortoir:
c'est la pire peste de l'école!

Chapitre premier

Il y a des choses qui te font peur ? Moi, oui.

D'abord, j'ai peur de manquer de Points Diadème, à la fin de l'année. Il en faut cinq cents pour entrer au Club du Diadème. J'en meurs d'envie,

ça a l'air tellement merveil-
leux !

J'ai peur des araignées, aussi,
et des gros chiens féroces.

En fait, n'importe quoi de
gros et de féroce me terrifie !

Sans oublier notre directrice,
à la Princesse Academy : la
Reine Gloriana est effrayante.
Très grande, très élégante... et
parfois très sévère, si on fait une
bêtise !

Marraine Fée, notre intendante, est plus gentille. Mais
quand elle se fâche, elle peut
doubler de volume ! Si, sans
rire : c'est une magicienne !

D'ailleurs, nous sommes en train de petit déjeuner, avec mes amies, quand elles entrent ensemble dans la salle à manger.

— Bonjour, mes chères princesses, nous salue la directrice. J'ai une nouvelle importante pour les élèves de première an-

née. Ce matin, vous avez cours de Cuisine Fine. Mais juste après déjeuner, vous monterez dans la Salle de la Tour. Vous avez beaucoup de chance : le Roi Perceval vous amène l'un de ses dragons !

C'est si incroyable, personne ne dit rien, sur le moment.

Mon cœur se met à battre fort, comme s'il allait exploser... Et puis voilà : j'ai tellement peur, que ça me donne le hoquet. La honte !

La Reine Gloriana reprend :

— Le Roi Perceval vient vous enseigner l'Approche des dragons. Soyez bien attentives. Je compte sur vous pour recevoir chacune au moins dix Points Diadème de votre professeur !

Sur quoi, elle sort de la pièce avec grâce, Marraine Fée la suivant de son pas bruyant.

Bien sûr, aussitôt seules, nous parlons du dragon. Sauf Perfecta, qui fait semblant de bâiller d'ennui, et Flora, qui l'imite aussitôt.

Comme elle a redoublé, Perfecta joue toujours à celle qui sait tout mieux que les autres.

Pourtant, elle a obtenu à peine cent Points Diadème, l'an dernier ! La sœur d'Alice, qui était dans sa classe, nous a raconté que la directrice était furieuse…

— Ça alors, un dragon ! s'exclame Katie, l'œil brillant de joie.

Moi, je panique :

— Vous croyez qu'il sera très grand ?

— Il sera énorme et féroce ! répond Charlotte.

Mais Sophie fait non de la tête.

— La Reine Gloriana ne le per-
mettrait pas ! Je crois plutôt que
ce sera un dragon si vieux qu'il
ne pourra même plus cracher le
feu.

— Allons en cours de Cuisine, s'écrie alors Alice en se levant de table. J'ai trop hâte de le voir. Finis vite ta tartine, Daisy !

Je regarde mon assiette en soupirant. Les bords grillés du pain me font penser aux flammes des dragons et je murmure avec angoisse :

— Je n'ai plus faim…

Nous quittons donc la salle à manger. Émilie m'attrape par la main.

— Ne t'inquiète pas, Daisy. Tout se passera bien… Enfin, j'espère !

— Quelle bande de poules mouillées ! ricane dans notre dos cette peste de Perfecta.

Chapitre deux

Le cours de Cuisine est un désastre.

J'aime ça, pourtant. Dans mon château, la cuisinière me chasse toujours de l'office en brandissant sa louche et en criant que ce n'est pas la place d'une princesse.

Par chance, la Reine Gloriana pense le contraire.

Elle dit que tout ne finit pas forcément par « et ils vécurent heureux jusqu'à la fin des temps ». Certaines familles royales sont très pauvres, il vaut mieux savoir se débrouiller.

Mais là, je m'inquiète tant, à cause du dragon, que je n'écoute pas Lady Victoria, notre professeur de Cuisine Fine. J'allume le four trop fort… et mes gâteaux brûlent.

Flora s'écrie :

— Appelez les pompiers pour Daisy !

Et Perfecta pouffe comme une idiote.

— Ignore-les, me conseille Sophie. Et prends un des miens !

— Échange-les avant que la prof voie les tiens ! renchérit Katie.

Mes amies ont raison : mes gâteaux ressemblent à des morceaux de charbon, c'est une vraie catastrophe !

Comme je ne trouve pas la poubelle, je les cache dans mon sac… Juste à temps : Lady Victoria approche justement, juchée sur ses talons aiguilles.

Les lunettes au bout du nez, elle inspecte un instant nos plateaux, puis elle déclare :

— Vous auriez pu faire un effort de présentation, mesdemoiselles !

Et elle choisit un de mes gâteaux, pour y goûter !

Un gâteau de Sophie, en réalité. Nous fixons nos pieds, l'air innocent...

— Oh non ! s'exclame Lady Victoria en avalant une bouchée. Votre groupe a confondu le sucre avec le sel ! Vous ne méritez aucun Point Diadème !

Elle soupire, déçue.

— Quel dommage ! Je souhaitais apporter ces pâtisseries à la soirée du Roi Perceval, tout à l'heure !

Flora se redresse, tout heureuse.

— Une soirée, Lady Victoria ?

— Seulement sur invitation spéciale, Princesse Flora. Il y aura des feux d'artifice, et on dansera au clair de lune, dans le jardin suspendu, sur le toit de la tour de cristal de son palais.

Elle nous regarde avec tristesse et explique :

— J'avais prévu d'offrir plein de nos petits gâteaux glacés de rose au roi !

— Mais les miens sont très réussis ! l'interrompt soudain Perfecta avant d'ajouter entre ses dents : et je n'ai pas triché comme cette poule mouillée de Daisy…

Notre professeur secoue la tête.

— Ils ne sont pas assez cuits, Princesse Perfecta. Et je vous ôte deux Points Diadème pour vos mauvaises manières !

Perfecta, vexée, se renfrogne.

Au même instant, la cloche du déjeuner résonne.

Nous sortons vite derrière Lady Victoria, et nous rendons en rang au réfectoire.

Nous nous installons à table, mais je ne peux pas manger ma pizza. J'ai tout le temps l'impression que ça sent la fumée de dragon !

À côté de moi, Émilie aussi a l'appétit coupé.

— Le dragon sera tenu en laisse ? demande-t-elle à Alice.

— Je ne sais pas. La femelle que le Roi Perceval devait présenter à la classe de ma sœur attendait un bébé. À la place, il leur a apporté une silhouette en carton. Ma sœur était déçue !

— Oh…, bredouille Émilie d'une voix pâle.

Son air effrayé me donne un peu de courage. Je lui propose :

— On n'aura qu'à rester ensemble !

— Quelle bande de poules mouillées ! se moquent à nouveau ces chipies de Perfecta et Flora.

— Nous resterons toutes les six ensemble ! insiste Sophie pour leur clouer le bec.

Le repas terminé, nous montons donc dans la tour de l'école. Émilie et moi nous tenons bien fort par la main...

D'habitude, la Salle de la Tour est ma classe préférée. Il y a une immense fenêtre, là-haut, on peut voir à des kilomètres à la ronde !

Cette fois, pourtant, je grimpe les escaliers tout doucement...

Comme nous, Sophie et Alice se tiennent par la main. Même Charlotte et Katie hésitent, au moment d'ouvrir la porte. J'avoue en tremblant :

— Émilie, j'ai trop peur !

— Oui, moi aussi. Mais nous sommes des princesses !

— Tu as raison. Allons-y !

Et nous pénétrons bravement dans la pièce, pensant trouver un énorme dragon aux écailles luisantes et au regard cruel.

Je suis évidemment prête à me sauver, si jamais il est trop horrible…

Mais il n'est pas horrible du tout, ce dragon : il est adorable !!

Chapitre trois

Les élèves poussent toutes des
« oh » et des « ah » émerveillés,
dans la classe.

Il y a de quoi : le dragon est
un bébé, tellement mignon,
avec son ventre tout rond
recouvert d'écailles argentées,

et ses minuscules petites ailes
vert pâle !

C'est plutôt lui, le pauvre qui a
peur de nous. Il nous fixe de ses
grands yeux dorés.

Derrière, le Roi Perceval sourit.

C'est très étonnant, parce qu'il a bien cent ans, ce roi, avec sa grosse bedaine et sa barbe touffue : il fronce toujours les sourcils !

Il faut dire qu'il nous donne d'habitude des cours de Politesse envers les Princes… et nous sommes plutôt nulles, dans cette matière !

— Son dressage n'est pas terminé, prévient-il. Mais une fois que vous avez vu un dragon bébé, vous ne craignez plus les adultes ! Qui veut lui gratouiller le menton ?

— C'est vrai, on peut ? s'exclame Katie. Il est si beau !

Le roi bombe le torse avec fierté.

— Il est assez exceptionnel, en effet. Approchez sans mouvement brusque.

Katie et Charlotte avancent sur la pointe des pieds.

Charlotte gratouille le menton du petit dragon, Katie lui caresse les oreilles… Et le petit animal se met à ronronner de plaisir !

— Bravo ! félicite le Roi Perceval. Princesse suivante !

Il me désigne, en disant cela, mais Perfecta s'écrie :

— Menteuse !

Elle m'énerve, à la fin. Un aussi joli dragon, j'ai très envie de le cajoler, au contraire !

— Votre Majesté ! Il faut dispenser Princesse Daisy, elle meurt de trouille !

Je sens que je vais exploser de rage ! Je lance :

Alors, je jette à Perfecta un regard de défi en commençant à approcher du bébé… Quand Flora me fait un croche-pied !

Le bruit de ma chute effraie le petit dragon.

Il pousse un cri aigu en s'enfuyant à toute vitesse par la fenêtre. Il casse la vitre. Personne n'a le temps de le retenir que déjà, il court sur le toit…

Lorsqu'on entend un rugissement terrifiant. Une femelle dragon gigantesque s'élève vers la tour, de la fumée lui sort des naseaux !

La maman du dragonneau !

Sur le coup, nous sommes paralysées de terreur.

Ses écailles scintillent au soleil tandis qu'elle bat lourdement des ailes contre le vent. Ses yeux lancent des éclairs de colère et,

soudain, elle crache des flammes
devant la fenêtre !

Et là, le Roi Perceval agit en vrai héros !

Il se penche courageusement au-dehors, entre les morceaux de verre brûlants, et souffle dans le petit sifflet d'argent qu'il porte autour du cou.

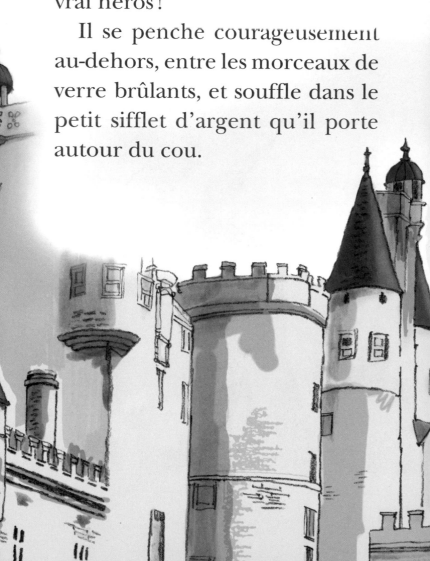

Aussitôt, le dragon s'immobi-
lise dans les airs. Le roi ordonne
d'une voix de stentor :

— Rentre à la maison ! Tu es
vilaine, Diamant ! Rentre vite !

La femelle cligne des yeux :
elle est beaucoup moins impres-
sionnante, subitement. Elle fait
demi-tour, puis elle disparaît au
loin.

Sur le toit, son petit l'appelle en gémissant. Une odeur de fumée flotte dans l'air…

Le Roi Perceval s'éponge le front, puis il se tourne vers nous :

— Ça va, personne ne s'est fait rôtir ?

Nous sommes muettes d'effroi.

Cependant, j'ai remarqué que l'énorme dragon a lancé un regard penaud au roi. Comme mon chien avec moi, lorsqu'il a fait une bêtise.

Et, tout d'un coup, ma peur s'envole !

— Parfait, continue le Roi Perceval. Vous excuserez Diamant. Elle s'inquiétait pour son bébé. Nous allons le ramener à l'intérieur, et…

Il se tait brusquement. Dehors, le bébé dragon s'est perché au sommet de la plus haute cheminée !

— Oh non ! s'étrangle Alice.

— Il a escaladé les briques, devine notre professeur. Il ne sait pas encore voler. Il cherche de la suie à manger. Il est tout le temps affamé !

Il tente alors de faire rentrer le bébé dans la classe :

— Petit, petit, petit ! Descends,
reviens !

Le dragon ne bouge pas. Le
Roi Perceval utilise son sifflet,

mais l'animal s'entête et il refuse d'obéir.

— Envoyez-lui sa mère, propose Charlotte.

— Impossible : elle risquerait de détruire la cheminée d'un frôlement d'aile !

Le Roi Perceval pousse un gros soupir.

— J'oublie toujours d'emporter du charbon avec moi ! Je n'ai plus qu'à courir demander de l'aide à Marraine Fée. Regagnez vos chambres, princesses. Le cours est terminé !

— Il vaudrait mieux surveiller le bébé, non ? suggère alors Sophie.

Je suis si contente qu'elle pose cette question !

Aucune de nous ne veut abandonner le petit dragon sur la cheminée…

Le Roi Perceval lisse sa barbe, l'air pensif.

— Vous avez raison, décide-t-il enfin. Mais je vous interdis formellement d'approcher de la fenêtre. C'est compris ?

— Compris, Votre Majesté ! répondons-nous joyeusement en chœur.

Chapitre quatre

Nous entendons le Roi Perceval dévaler l'escalier de la tour en haletant. En attendant son retour, de petits groupes d'élèves se forment dans la classe.

Je suis déjà avec Émilie, Alice et Sophie ; Katie et Charlotte se dépêchent de nous rejoindre !

— Quel cours incroyable ! s'exclame Katie.

Je murmure :

— Pourvu que tout aille bien pour le petit dragon…

— J'espère bien ! jette alors une voix méchante, près de nous.

C'est Perfecta, qui vient d'arriver. Elle continue :

— Parce que tout ça, c'est ta faute, Daisy-la-trouillarde ! Si tu n'avais pas terrorisé ce pauvre animal, il ne se serait pas enfui sur le toit !

— Et maintenant, la Reine

Gloriana va te renvoyer de l'école ! ajoute Flora.

Ni une, ni deux, Émilie prend ma défense :

— Daisy ne sera pas renvoyée, elle n'a pas fait exprès de trébucher !

— Mais je n'ai pas trébuché ! je corrige. C'est Flo…

Je m'arrête tout d'un coup. Si personne n'a vu le croche-pied de Flora, j'aurai l'air de m'inventer des excuses, en racontant ça…

— Ne t'en fais pas, essaie de me rassurer Sophie. C'était un accident !

Elle tâche d'être gentille, mais elle ne réussit qu'à m'inquiéter encore plus ! Le pire, c'est quand Charlotte renchérit :

— Nous dirons à tout le monde que tu n'avais pas l'intention d'effrayer le dragon !

— Mais nous, nous le savions, qu'elle allait l'effrayer, glousse Perfecta. À la seconde où elle s'est élancée vers lui ! N'est-ce pas, Flora ?

— Oh oui ! Daisy voulait tellement faire croire qu'elle est courageuse !

— Mais elle l'est ! se fâche Émilie. Aller au devant de ses peurs, c'est beaucoup plus courageux que n'avoir pas peur du tout !

Et là, je me sens encore plus embarrassée !

Je n'avais pas peur du petit dragon, j'étais juste très en colère contre Perfecta ! Alors, une horrible pensée me vient à l'esprit.

Après tout… je l'avais peut-être réellement effrayé, en m'avançant vers lui, et pas en trébuchant !

Je ne sais plus quoi penser quand une grosse voix, à l'entrée de la classe, me fait sursauter.

— Qui peut m'expliquer ce qui se passe ici ?!

Marraine Fée !

Elle est si en colère qu'elle a doublé de volume !

Je lève la main pour répondre, les jambes en compote, tremblant comme une feuille. Dans cet état, l'intendante est bien plus terrible qu'un dragon !

Je bafouille, je bégaie. L'enchanteresse ne dit rien, mais je suis sûre qu'elle me trouve ridicule. À la fin de mon récit, elle ordonne à tout le monde de descendre à la salle à manger… sauf à moi !

— Pardon, ose protester Katie. Mais le Roi Perceval nous

a chargées de veiller sur le dragon jusqu'à son retour.

— Je m'en occupe ! gronde
Marraine Fée d'une voix de ton-
nerre. Descendez !

Et les princesses quittent la
classe dare-dare, tu peux me
croire !

— À nous deux, Princesse
Daisy ! lance alors la magicienne.
Notre pauvre Roi Perceval s'arra-
che les moustaches. Il est si
préoccupé au sujet de ce petit
dragon indiscipliné !

Elle me lance un regard per-
çant.

— D'après lui, nous devrions

pouvoir l'attirer avec de quoi manger. Comme tout est votre faute, vous resterez de garde ici pendant que j'irai chercher un sac de charbon !

Sur quoi elle quitte à son tour la salle en frappant bien fort des talons sur le parquet, et en retrouvant soudain sa taille normale, derrière la porte.

Je me demande si je m'habituerai un jour à sa façon de grandir et de rétrécir sans arrêt !

Je me demande aussi si je rêve, car voici qu'elle se retourne sur le palier pour m'adresser un clin d'œil complice !

Chapitre cinq

— Daisy, c'est nous…

Mes amies Émilie, Katie, Alice, Charlotte et Sophie entrent à pas de loup dans la pièce ! Je m'étrangle :

— Vous êtes folles ! Si Marraine Fée vous voit, ça va barder ; vous allez perdre des tas de Points Diadème !

— Nous ne pouvions pas t'abandonner, chuchote Alice. Et puis, nous avons eu une idée de génie !

Elle brandit un sachet sous mon nez avant d'ajouter :

— Ce sont les gâteaux qu'on a faits en classe, ce matin !

— Je lui ai dit que le bébé dragon n'aimerait pas ça, soupire Sophie. Mais nous n'avons pas de charbon…

— Alors autant essayer, puisqu'il a faim ! insiste Alice.

À ces mots, mon cerveau se

met à bouillonner, et soudain, je me souviens ! Mes gâteaux, mes gâteaux brûlés…

Brûlés comme du charbon!

Vite, j'ouvre mon sac, où je les ai cachés. Ouf! Ils sont toujours là! J'en saisis un, puis je le jette par la fenêtre en criant au dragon:

— Regarde!

Le biscuit ne pèse pas assez lourd pour planer jusqu'à la cheminée, et il tombe sur le toit. Le dragon se redresse brusquement sur ses pattes... en se léchant les babines!

— Youpi, ça lui plaît! se réjouit Katie.

— Trouvons un moyen de les lancer plus loin, remarque Charlotte.

J'inspire alors profondément, et j'enjambe la fenêtre avec mon sac !

— Daisy ! hurle Émilie. Reviens, c'est trop dangereux !

Ignorant ses cris, je commence à marcher sur le toit.

J'approche de la cheminée en parlant au dragon d'une voix très douce… lorsqu'il se met à avoir l'air nerveux.

Je m'arrête afin de déposer deux gâteaux sur les tuiles.

Puis, je repars lentement en sens inverse, en semant des morceaux de gâteau derrière moi.

Soudain, dans mon dos, j'entends le dragon sauter de la cheminée !

À l'expression de mes amies, penchées à la fenêtre de la tour, je comprends aussitôt qu'il me suit.

Katie agite la main, Sophie sourit, Émilie approuve de la tête, tandis qu'Alice et Charlotte applaudissent doucement.

Je ré-enjambe le rebord de la fenêtre, je rentre dans la classe, où j'émiette encore des biscuits jusqu'au milieu de la pièce.

Sans un mot, mes amies et moi nous plaquons ensuite contre le

mur du fond. Osant à peine res-
pirer, nous attendons…

Clic, cloc, font bientôt les grif-
fes du dragon sur le toit. Cric,
croc, picore-t-il le chemin tracé
par les gâteaux…

Et victoire : il bondit dans la
classe !

Peu après, quand ils revien-
nent enfin avec un page portant
du charbon, Marraine Fée et le
Roi Perceval trouvent le dragon
bien tranquille sur son coussin,
en train de se régaler de gâteaux
brûlés !

Je lui gratouille le menton, et il
ronronne. Le roi a d'abord l'air

très surpris, puis il s'exclame :

— Oh, gentil dragon ! Je le savais !

— C'est Daisy qui l'a ramené ! explique aussitôt Émilie.

Marraine Fée m'adresse un immense sourire en notant :

— Et dire que vous avez peur des dragons, Princesse Daisy !

— Ah ça non, plus maintenant ! je réplique.

Et c'est la pure vérité !

Avant que nous quittions la Salle de la Tour, le Roi Perceval nous remet une invitation très spéciale.

Il convie les six princesses de la Chambre des Roses à sa soirée au clair de lune !

— C'est ma façon de vous remercier ! déclare le roi.

Le Roi Perceval
vous invite cordialement
à sa Soirée Privée

À partir de 18h30
au sommet de la tour de cristal
de son palais.

D'un coup de baguette magi-que, Marraine Fée répare le car-reau cassé.

— Ces jeunes demoiselles mé-ritent-elles vraiment une récom-pense, après tous les ennuis qu'el-les ont causés? grogne-t-elle.

Mais on sent bien qu'elle fait semblant d'être fâchée!

— Quels ennuis? s'étonne le roi.

Elle se tourne vers moi et dit d'un ton malicieux:

— Le Roi Perceval aimerait quelques détails…

J'explique donc:

— C'est ma faute, Votre Majesté, si le dragon a eu si peur. Je suis désolée!

Le professeur secoue la tête.

— J'ai tout vu, Princesse Daisy: on vous a fait un croche-pied! J'ai tout raconté à Marraine Fée, et j'ai ôté vingt Points Diadème à

Princesse Flora ! Quant à vous six, je vous en accorde trente chacune !

Je me doute que c'est indigne d'une Princesse Modèle… mais je l'avoue : je ne peux pas m'empêcher d'être sacrément contente !

Chapitre six

La soirée du Roi Perceval célébrait le premier anniversaire du petit dragon.

Le plus fantastique, c'est que nous sommes allées à son palais… en volant !

Diamant est si énorme que

nous avons pu nous asseoir toutes les six ensemble sur son dos
écailleux, et elle nous a empor-
tées haut dans les nuages!

Nous nous sommes bien amu-
sées, à la fête!

Les fusées des feux d'artifice ont vrillé, sifflé, éclaté comme jamais !

Nous avons dansé sur le toit de la tour de cristal sous une pluie

d'étoiles lumineuses et de gerbes multicolores ; c'était magnifique !

Diamant s'est jointe au spectacle.

Elle a craché vers le ciel des anneaux de fumée qui sont peu à peu retombés sur nous. Nous avons beaucoup applaudi !

Enfin, la lune s'est levée, et nous avons valsé et valsé sous ses rayons argentés…

Plus tard, nous sommes rentrées à la Princesse Academy.

C'est bizarre, je ne me souviens pas du voyage de retour…

Je devais être déjà à moitié endormie !

Et puis, je ne sais pas si j'ai rêvé que Marraine Fée me bordait dans mon lit, mais je suis certaine de l'avoir entendue murmurer :

— Bonne nuit, princesses de la Chambre des Roses ! Dormez bien !

FIN

Que se passe-t-il ensuite ?
Pour le savoir, tourne vite la page !

L'aventure continue
à la Princesse Academy
avec Princesse Alice !

Me voici, Princesse Alice !
Descendre le Grand Escalier de la Princesse
Academy sous les yeux de la terrible professeur
de Maintien et d'Élégance est un exercice
qui ne me plaît vraiment pas !
Surtout que je ne suis pas très adroite...
Voilà que je déclenche une véritable pagaille
dans les cuisines, en pleine préparation
de la grande fête de l'Académie !
Mais comment vais-je me sortir de là ?

Table

Les p'tites Princesses

Le magazine des petites filles qui aiment tout faire !

De 5 à 8 ans

* De la lecture : une grande histoire illustrée, des petits récits, des BD, etc.

* Des activités pour s'amuser : dessins, coloriages, recettes, bricolages, découpages, pièce de théâtre, etc.

* Et aussi une magnifique surprise pré-découpée à monter et plein d'autocollants !

« Pour l'éditeur, le principe est d'utiliser des papiers composés de fibres naturelles, renouvelables, recyclables et fabriquées à partir de bois issus de forêts qui adoptent un système d'aménagement durable. En outre, l'éditeur attend de ses fournisseurs de papier qu'ils s'inscrivent dans une démarche de certification environnementale reconnue. »

Imprimé en France par Qualibris (JL)
Dépôt légal : octobre 2007
20.24.1267.2/04 – ISBN 978-2-01-201267-7
Loi n°49-956 du 16 juillet 1949
sur les publications destinées à la jeunesse